臼井儀人

Volume 47

我總是驚動周遭的人，但是我才不管！篇

其之1

岐阜車站

到達岐阜了呢！

岐阜的資勢！

我固然很開心出來旅行，但我們要在岐阜做什麼呢？

說到岐阜，就想到長良川的鵜鶘捕魚！

我是想看那個才來的。

我是想看那個才來的。

可以預防感冒哦！

那是漱口。

※鵜鶘捕魚與漱口的日文發音相近。

鵜鶘捕魚是養鵜鶘的人操控鵜鶘捕魚，是歷史長達一千三百年以上的傳統捕魚法哦！

就好像爸爸和媽媽的關係。

去幹活！

月薪

呸呸！

囉嗦！

您好，請問要找什麼呢？

嘎

我想投宿在妳的心裡。

啊…？

觀光諮詢

先來找今晚住的地方吧！

5

決定好旅館後，到金華山觀光。

不要講些莫名其妙的話！

我們正在找今晚投宿的旅館啦！哈哈哈哈

請、請從那邊的簡介選擇⋯⋯哈哈哈哈哈

哇！好高哦！

嘎——！

你好。

你好啊！

嘿嘿⋯⋯好輕鬆！

如飛

健步

難得來一趟，我要自己爬上去！初學者路線應該很輕鬆就能上山吧！

我們搭纜車去，到時在山頂碰頭。

就像媽媽一樣呢。

唔呵——好美的景色！

15分鐘後

氣喘吁吁氣喘吁吁

我不行了⋯⋯

我要死了⋯⋯

那傢伙在做什麼呀？

是爸爸！

嘻嘻⋯⋯

小葵，要吃餅乾嗎？

你們兩個不要一起不理我嘛。

嘩！

旅館
鵜鶘的不良居心

好厲害的爺爺呢。

論腳臭的話，爸爸也很厲害的說。

哼！

咿！咿！

囉嗦！

真是謝謝你。

沒什麼啦！我每天都在爬，哈哈！

我是負責接待您的千景，我帶各位到房間去。

謝謝。

心動

我是剛才打電話訂房的野原。

我是他兒子安潔拉亞季。

你閉嘴！

我們恭候多時了。

我們今晚想參觀鵜鶘捕魚秀。

長良川就在眼前！

哇！美的景緻呢！

真的好美。

陶醉～

開始對生存方式存疑的鵜鶘房

就是這裡。

哦！你說你說！鵜鶘捕魚秀暫停，真令人無法接受呢！

我再也無法忍受了！請容我講一句話！

不好意思，今天河川狀態不佳，所以沒有表演喔。

咦？這樣啊？

有什麼關係，能泡溫泉、吃美食就好啦。

失望貌

那是和尚。

我喜歡的是能成為鵜匠的穩重男性。

又在胡言亂語了……

唉?

請把我訓練成妳心目中的鵜匠。

唉……真想看鵜鶘捕魚秀。

千景…

啊……好舒服呢…

呢!

阿飼。

千景…來一下。

我要吃個飽,追求千景!

可惡!今晚我要大喝特喝!

嗯,好吃!

我要開動了!

嘩

我不適合走這條路啦!鵜匠完全不聽我的話,我沒才能啦……

你當時說要成為像爸爸那麼優秀的鵜匠,那麼努力的說…

那你成為鵜匠的夢想呢?你怎麼跟你爸說?

說了會挨揍,所以我要不告而別。

我還是要去東京。

在東京開居酒屋的學長預定要雇用我，所以下星期出發，我們暫時要談遠距離戀愛了……抱歉。

我討厭放棄夢想的你！

千景……

嚓

我要追求千景！去問她的郵件地址

唔……吃得好飽。

嘻！

熟睡

第二天早上

……

看到女生的眼淚就沒輒了。

沒精打采離去

你在做什麼？

練習妄想操控鵜鴣捕魚！

為了女友，我將來要成為鵜匠！不是和尚哦！

這樣啊……

喂！對面的鵜鴣不許偷懶！

多抓點魚來！不許不許聊天！

美冴的褲襪

9

怎麼啦？尿出來了嗎？

對了！我過於心急，忘了對鵜鶘灌注愛心，所以跟牠之間的信賴關係消失了！

啊！

可是鵜匠不會那樣鵜鶘大罵鵜鶘的，應該更有感情地對待…

嘩嘩嘩嘩

千景，剛才我錯了！我要再立志成為鵜匠！

要把屁股擦乾淨哦！

他果然察覺到自己尿出來了……

謝謝你！託你的福，我察覺到重要的事情了！

嘩

好！

千景，端早餐囉！

加油哦！

嗯…太好了，

啜泣

安德莉雅！

我們還會來的，長良川！下次要讓我看到鵜鶘捕魚秀哦！

你是洛基啊？

分別的時候

受你們照顧了！

謝謝惠顧！

下次再來哦！

嗯！

太好了，她很有精神。

我總是驚動周遭的人，但是我才不管！篇

其之2

野原太太過來一下。

真的耶！好臭…

臭氣的原因…好像是我家對面的捨內家發出來的哦？

家對面的捨內家發出來的哦？

…這不是在說我嗎！

不過，聽說她練了十分鐘就閃到腰了哦。

說到事件，野原太太瞞著她先生買了「比利健身系列」DVD！

啊！我知道那個！

我家next to 他家，從last week開始就smell到臭味了……啊哈

嗯！

會不會出了什麼意外或事件啊？

聽妳這麼一說，這幾個月都沒看到捨內太太呢。

對呀，我以前頂多跟她打個招呼而已。

有什麼事就拿野原先生做擋箭牌，席林！

我好怕哦…蜜琪……！

你是男人吧！

為什麼我們被選為代表啊？

唔嗯

啊！呻吟的voice！

最好找個人去查看情況吧？

唔呼

啊呼

唔

跟我來吧！新之助！席林！

好！野原廣志探險隊，一定要解開那臭味之謎！

笨蛋……

我晚上也很強哦！

啊嗯…強壯的男人好棒，史特龍！

這時候還是男人值得仰仗呢。

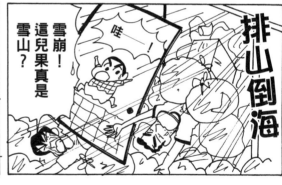

我總是驚動周遭的人，但是我才不管！篇

退避三舍

其之3

小新，過來幫忙！

你那麼年輕要得四十肩，是不可能的。

而且你的「很想」說太多次了。

我很想很想想幫忙，可是因為四十肩，手舉不起來。

說到四十，雜誌也創刊40週年了，可喜可賀呢。

為什麼非得幫忙不可？

幫忙別人，學會各式各樣的工作，好成為成熟穩重的大人啊。

要成熟穩重的是人格！

成熟穩重的大人啊……

那就幫忙好了……

髮髻——！

哈哈哈…很好、很好！

嗯？

媽媽、媽媽！

先擦桌子吧！

好。

媽媽也——會！

鼻水——

那我去擦桌子了。

反正我就是沒創意嘛。

呀呀……

哦——今晚吃咖哩

耶——那我要端鍋子當做紀念！

嘿咻！嘿咻！

你真的可以嗎？

不知不覺中……連那麼重的東西都已經端得動……他長大了呢！呵呵呵！

嘿咻！嘿咻！

怎麼了？

我很輕鬆的就端到桌上，所以想再來回一趟。

那種事走單程就行啦。

快回去、快回去！

震驚

潑出來

跌倒

新之助——！

唉呀呀！小新又闖了什麼禍嗎……

蠟筆小新‧外傳
令人提心吊膽的長篇漫畫！
吸骨鬼

吸人類骨頭的吸骨鬼族，其子孫威士忌自稱本卿讓吸骨鬼王復活，己也成為吸骨鬼族，兩人一邊增加同伴，一邊前往美國，白宮。

另一方面，野原一家和居拔刀術高手古津光度良以及研究吸骨鬼的謎尾探教授一行人，保護打倒吸骨鬼王所需的骨劍，不被他的部下拿走。

唔…

唔唔…

美國 白宮——

軟趴趴

噗咻噗咻

磅磅

噗咻噗咻

這是我最中意的衣服，你們怎麼把它弄得到處是洞！

什麼！

用我的指骨槍懲罰你們！

子彈是骨頭做的！

妖怪！你們有何目的？

倒地

咚沙

我要你們配合推行「人類家畜化計劃」。

不從的話，總統…你的家人會得無骨症候群。

吸骨鬼

吸骨鬼

◀第二章　目的▶

野原家

舔呀
舔……

……以上是吸血鬼族的歷史。

詳情記得看第一章哦！

你在說什麼呀？

可是，吸骨鬼那種好像電影裡才有的事，我還是難以相信。

好像漫畫呢。

雖然我們那天也親眼在博物館看到吸骨鬼，可是現在想想，覺得這或許是整人節目。

我相信吸骨鬼的存在！因為這世上還有很多超越人類理解範圍的事情哦！

妳說得一點都沒錯！

喂——

那……姑且假設有吸骨鬼存在，吸骨鬼王最近復活了，我們要怎麼辦呢？

只好報警了吧。

我已經報了，但他們不相信。

叔叔去報警，也難怪他們會不相信。

沒禮貌。

有同感倒是了。

博物館的目擊者們，也認為是整人節目或惡作劇。

只好由我們跟吸骨鬼戰鬥了！

咦？為什麼是我們？我還要上班欵！

我得看動感假面耶！

我要打掃洗衣煮飯，還得去搶購便宜貨！

我要戰鬥！我們一起戰鬥吧！這兩個混蛋…

可是，要怎麼戰鬥？上次吸骨鬼被這瓶果汁溶化了哦！小嘍囉可以用這個解決，但要打倒國王，必須有骨劍才行。

為什麼非得用骨劍不可？我剛才也說過，骨劍是史奈普王朝時代的國寶級師傅「想鑄刀」所製，原料與別的劍不同。

根據文獻記載，成份有金、銀、鐵質、礦物質、蛋白質、胺基酸以及維他命、鈣等等，是營養非常均衡的劍，以能戰勝幾乎只用鈣構成的吸骨鬼王！

那樣的成份能製造劍嗎？

骨劍將在後天被載往下個展示場。古津光度小姐，妳這個春日部博物館警衛的協助，不可或缺啊。

叮咚

這種時間來訪，會是誰呢？

人類家畜化計劃…到底是什麼？

你們要為我們吸骨鬼族提供指定的美味糧食（人類），比如骨頭粗壯的好萊塢女星之類。

並且默許我們的行動。

你好—！你好—！你好—！誰啊？嘿！我等你們很久囉，那個似乎完成了呢！

美國肯合作的話，對我們是大有助益，千萬別暗地策劃什麼打倒吸骨鬼行動…否則別說是府上家人，還會導致全美國人民滅亡哦。

國務卿…我們沒有選擇餘地…

總統……

然後向全世界宣佈『要預防無骨症候群，就攝取大量鈣質，令骨骼健壯』。全世界的人類骨骼健壯，我們的食物也會變好吃。

嘘——！！

特別我覺得怪裡面！難

呃——原來你在

你是指我嗎？

冒出

鋸子和鉋子呢？

可以當武器的東西，來對付吸骨鬼。

野原先生你帶什麼來？

號來。

良小姐應該會馬上打訊

第二天晚上，春日部博物館關閉後——

了解！

○○視南側，麻煩你們去巡視了。

巡邏時間到了，古津光度巡視保管庫所在的北側，

春日部博物館警衛室

只要把這一瓶「非常超碳酸果汁」裝進水槍就好了。

那方法或許不錯。

非常超碳酸果汁

喀啵啵嗎

吸骨鬼在吸人骨前，會把唾液注入人體。

保管庫

嗶嗶嗶

教授，患無骨症候群的人，不會痊癒嗎？

其實那件事目前正在研究中⋯⋯應該會痊癒⋯⋯但需要疫苗。

那是「一根弟弟直苗苗」的簡稱嗎？

為了殺死嗜吃菌，所以絕對需要用到疫苗！

一閃

一閃

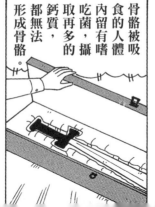

骨骼被吸食的人體內留有嗜吃菌，攝取再多的鈣質，都無法形成骨骼。

唾液中，有瞬時令人骨液化的嗜吃菌寄生著，使吸骨鬼易於吸食骨骼。

但是，為了製作那種疫苗……

可是，體液那種東西要怎麼拿？

需要吸骨鬼王的體液！

只好用這支骨劍，砍斷他的身體啦。

好重……

怎麼說都是極困難的事。

目前為止沒有異狀，交接完成了。

辛苦你們了。

讓你們久等了。

良，抱歉吶！

好優秀！

這也是為了保護人類啊！

快點回去吧。

啊——肚子餓了。

唔……魚干腥味。

我理想中的男性是愛吃小魚干，骨骼健壯的人哦。

唔吶……好，那麼我一定要喜歡小魚干！

那……明天起，請媽媽煮加了小魚干的味噌湯吧？

呃……我可以唸國中時再開始吃啦！

那樣不行呀。

哇哈哈哈！

妳跟我們有相同氣味哦。

他是吸骨鬼王！

哇啊！我的車⋯

咚喀

大家都平安嗎？

小新，你還好吧？

啊啊⋯把車子踹了個大凹。

比起見到妳的初次衝擊，這不算什麼啦。

嘰嘰嘰

嘎嗯

上！

喀鏘

哦⋯⋯妳拿得動骨劍嗎？那個蠻重的吧？

把骨劍交出來，就饒你們一命。

無可奉告！

不需要跟他們講話啦！

而且妳身上的氣味⋯

哦哦⋯有兩下子嘛！小姐！

粉碎

咚啪

沙啪

嗚吧！

呀！

另一方面，持有打倒鬼王之唯一武器骨劍的野原一家以及同伴被吸骨鬼族襲擊，把新之助擄走做為人質。

再見

吸人類骨頭的吸骨鬼族——吸骨鬼王操控美國政府，執行「人類家畜化計劃」。

吸骨鬼王的部下威士忌‧波本卿。

美國總統

吸骨鬼王

吸骨鬼

◀ 第三章　　奪回 ▶

野原家

怎麼會變成這樣！

新之助被吸骨鬼擄走了！

抱歉，我在場卻沒保護好他……

噯呀嘩！

不好意思夫人……

吸骨鬼研究家謎尾探教授

都怪你連累我們家啦！髒胖子！

喂…妳講得太過份了，髒或胖子只能選一個罵啦

兩個都很失禮啦

居合拔刀術高手古津光度良

同一時間，吸骨鬼王的巢穴——

咬！咬！

嗚嗚這時候那孩子肯定在害怕哭泣，真是可憐……

美冴姊，我一定會救小新的。

咕嗯

啵哩！啵哩！

噗

你應該要稍微害怕呀！你是被綁架來的哦！

也罷，總比哭哭啼啼的好。

喂！對大王說話要恭敬！

因為是百分之百骨骼構成。

伯伯，你的身體好硬哦。

啊——沒有小雞雞！

不許掀起來！

他不知大王的可怕。

我收起來了啦！

不是問你幾碼啦！大王是問你幾號！

7碼！

倒是你家的電話號碼是多少？

比如503 5261……

欸？是幾號來著呢？押切萌的三圍，我倒是知道的說……

行不通，叫咱們在警察局的同伴查。

是！

用手機打遊戲好了。

原來你有帶手機呀！你家電話號碼有儲存在裡面吧！

不耐煩

大王，您別跟這臭小子一般見識。

啊⋯⋯對哦，那我自己打電話。

大王，您是不是缺鈣？

我不要鈣補充錠！

嗶 嗶

嘟嚕嚕嚕

喂——

是呀，走了好幾家店都買不到，真傷腦筋！

也不想得那個無骨病！

來買含鈣食品的家庭主婦

那碗糕什麼病！

如各位所見，這家超市的展示櫃的商品也幾乎都沒了，此現象到處可見。

現抓鮮魚特價

一定要讓碳酸飲料廢止法案成立！

骨骨骨…拜託你囉。

骨部議員

另一方面，△△黨的骨部議員主張為防範無骨症候群，應該廢止防礙骨骼形成的碳酸飲料的製造以及販賣，尤其是「非常超碳酸果汁」…

喂！那不是「駿河灣的海盜」裡的綺拉綺拉奈特莉嗎？

用手機攝影中

啾…嚕嚕嚕嚕

悟…

好羨慕大王哦…好像很好吃。

大王，用餐時間到了，這些是剛送到的骨骼強壯的好萊塢女星。

哦……來啦？

唔…

拿出

妳在吃炸雞時，連骨頭也吃對吧？

是的。

妳果然也是我的子孫

撕下

這位女星是「星際大戰爭」裡的娜姐莉谷盤。

閒閒

唔唔…

妳也吸吸看骨髓，已經注入我的唾液，所以容易吸食。

唔唔！

噗！

刺！

哈——真是超美味的！

尤其我的吸管也是爸爸的遺物，是能提升箇中美味的神奇吸管！

因為吸血鬼是直接咬脖子，我們吸骨鬼不能做那種低級的模仿。而且透過吸管，滋味會變得更加圓潤啊。

可是大王，為什麼我們吸骨鬼要用吸管吸呢？

啾……嚕嚕嚕！

棒透了，下次還要安排哦！

大王！好萊塢女星的滋味如何啊？

對了，有件事拜託你，美國那邊有個叫CIA……

啊啊……大王，請讓我當您的情婦，讓我照顧您。

好啊。

人在美國的威士忌先生打來的。

軟綿綿 軟綿綿

妳是我的子孫。

小魚干

第二天，PM3：55

上野的大森博物館

嘎沙！

沙

冒出來

我的身體被切斷還能再生，而且會變得更堅韌！

怎麼會…

還真的咧。

唉？

娜姐莉，動手。

按下！

我一開始就看穿你們的計劃，我命令CIA去查的！

當年肌肉太郎能打倒他，是因為砍下他的頭！砍其他部位沒意義！

是「部位」，不是V！褲子穿起來！

V！

小良——！

用催眠瓦斯睡一覺吧。

咻…

唔…

嘎喀！！

糟了！

這一刻我等了好久，同時得到骨劍和這位小小姐了！耶！

蠟筆小新
有點難度
小謎題～ PART18

來到第18回的有點難度小謎題。
先做做看吧！

01

這次去岐阜旅行無法看到真的鵜鶘捕魚秀很可惜！對了，上次我們野原家也有到岐阜縣附近的三重縣哦！你知道當中深奧的原因嗎？

02

我以前曾經失憶過一次，
你記得原因是什麼嗎？

03

我們家的超級寶貝小葵，有生以來頭一次體會離別的痛苦，你知道那是什麼時候嗎？

◁ 答案在這一頁的背面哦！

來對答案哦～～
要是你全都知道，
就太厲害了！

媽媽誤以為爸爸出差是去做偷情旅行，於是帶著我和小葵跟蹤他哦！
從第36集第13頁開始看吧！

我在河堤滑草時摔倒撞到頭而失憶了。在恢復記憶之前，發生了各式各樣的大代誌哦。事件發生在第28集的50頁！

積雪的早上，我在院子裡堆了雪人，小葵和它成了朋友。可是天氣放晴，雪逐漸融化，小葵因而體會到離別的痛苦呢！
從第43頁的102頁開始看吧！

超級寶貝小葵！
在世界中心呼喊
「噠─咿」！篇

超級寶貝小葵！
在世界中心呼喊「嗟—咿」！篇

其之1

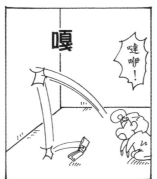

快速衝來

超級寶貝小葵！
在世界中心呼喊「噠─咿」！篇

其之2

欸──報紙紙刀完成了！

噠噠噠

貼上

拉長

嗶

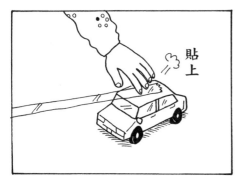

貼上

拉好長

哦──

前進

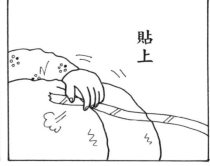

貼上

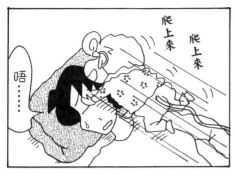

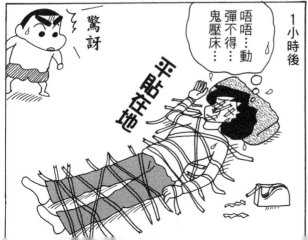

超級寶貝小葵！
在世界中心呼喊「噠—咿」！篇

淚盈眶

『如果小葵2歲…』

老公、小新，天亮囉！起床了！

呱咕呱…呱呱

小葵！不許妨礙哥哥換衣服！

我會嫁不出去的…

哇啊！妳做什麼啦！住手！

脫下來

準備早餐…

步伐蹣跚

不想做可以不用做啊。

嘖…乏味的工作。

小聲

那麼…妳幫爸爸和哥哥把睡衣折好吧。

真惹人憐愛，畢竟是女孩子嘛。

可是…人家想幫忙嘛。

淚盈眶

感動♥

這時候要說「爸爸抱抱」！

廣志，抱我！

撲！

反正，不能再鬧哥哥囉。

不滿——

呸！

來，抱抱！

一下下而已哦！

哎呀…別哭，我抱就是了啦。

淚盈眶

而且現在爸爸很忙，不能抱啦。

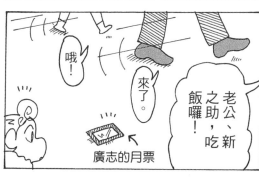

哦！

來了。

老公、新之助，吃飯囉！

廣志的月票

別擺出令人難解的表情啦。

不怎麼開心。

……

於是……廣志遲到了。

討厭！都怪你不收好啦！

我的月票在哪裡？奇怪了？

在哪裡！

15分鐘後

爸爸的重要的東西，幫他收起來，才不會弄丟。

49

超級寶貝小葵！
在世界中心呼喊「噠—咿」！篇

『如果小葵是幼稚園小朋友…』

察覺！

呃……今天開始，動感幼稚園來了很多新朋友。

入園典禮

動感幼稚園
入園典禮

小葵，妳乖一點啦。

……畏風泣時笑有一雨不會，時起哭有玩耍，歡時，

今天八成也會講很久。

呼啊—啊！

從今以後，各位新生將一起學習……

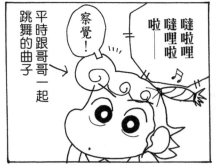

平時跟哥哥一起跳舞的曲子

察覺！

噠啦哩哩噠哩啦啦

這是手工麵包柯里昂哦

噠啦哩哩噠哩啦啦

動感幼稚園

手工麵包柯里昂

「教父」主題曲

蠟筆小新 有點難度 小謎題～ PART19

松坂老師與德郎先生的故事，終於迎向超感人的高潮！來回顧兩人漫長的愛的歷史吧！

01

松坂老師與德郎先生，一開始是誰先告白說「我喜歡你♥～」？

02

我也有看到松坂老師與德郎先生在一起！你知道兩人的初吻是什麼樣子嗎？

03

德郎先生最重要的寶物豬鼻龍的恥骨。他小的時候是怎麼得到它的，你記得嗎？

◁ 答案在這一頁的背面哦！

來對答案哦～～
要是你全都知道，
就太厲害了！

A1

對德郎先生一見鍾情的松坂老師，在練習主動告白時，德郎先生湊巧來到她旁邊…結果告白成功哦！可是後來老師立刻因為手腳複雜性骨折而住院了。
出現在第20集101頁哦！

A2

被松坂老師懷疑為同性戀者的德郎先生說「我要證明給妳看，我不是同性戀」，突然強吻了松坂老師哦！
看看第20集113頁。

A3

德郎先生小學的時候，有一次從樹上摔下，肩膀脫臼而哭泣時，湊巧路過的大學生幫忙急救，化石是從他手上拿到的哦！順帶一提，那個人後來就是發掘化石的隊長保根田教授。
記得看看第45集41頁哦！

松坂老師&德郎先生，交纏糾葛的線終於解開了哦！篇

其之1

松坂梅與行田德郎相愛，但因為釦子扣錯而落到分手的局面。梅要與別的男性訂婚，而德郎前往非洲的日子快要到來——

媽媽……

我知道啦！

騙她的。

咦？訂婚之舞？有啊，我有練習啦！

明天我會準時到訂婚會場的，不要緊啦……

我很忙，掛電話囉…再見。

叮咚！

來了——

嘩

辛苦你了。

松坂梅小姐嗎？我送花來了。

又是他…

留言
明天就是訂婚之日了，讓我們加油吧！
六本木

這2星期以來，每天都送花。

離訂婚還有○天！

以結婚為前提的訂婚

賀訂婚之喜 六本木

賀文定之喜 ○○

煩死了，大家都在關心訂婚的事！

出門散散心好了！

啪噹

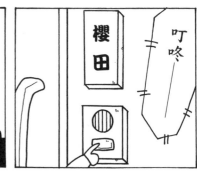

叮咚

櫻田

喀嚓

櫻田

啊……風間！你來啦！把你找來，真不好意思！

這位太太妳太見外了啦，請叫我阿徹吧。

別在我後面亂配音啦！

這位太太，我阿徹是妳的小白臉……

鄰居會誤會的吧！

聽說妮妮相當不開心呢。

聽說她一直待在自己房間裡……

是呀，所以我希望你們帶她出門轉換心情。

小新！你幹嘛一直看著冰箱？

凝視

妮妮，大家來找妳了！我們要進去囉！

喀嚓

松坂老師＆德郎先生，交纏糾葛的線終於解開了哦！篇

其之2

松坂梅與行田德郎二個人互相相愛，卻落到分手的局面。梅明天要與相親對象訂婚，德郎則要前往非洲。

晚安——

嘿！歡迎野原一家闔府光臨！

我媽媽不想煮晚餐，所以來這裡吃。

所以，今天由老婆大人付帳！

噓——！

不用你管，我已經決定今晚要喝個徹底。

果然是花2小時化妝的女人！

要說是松坂老師啦！

大叔，再一瓶。

客人，妳喝太多了。

別再喝了啦。

老師，妳明天不是要訂婚嗎？

在這種舊舊髒髒的地方喝酒好嗎？

夕勢呀！我的店舊舊髒髒的！

哦噁噁——！！

噗哦……

停車一下……

好啦好啦！孩子的媽，梅大概是很緊張啦！

真是的……哪有準新娘在訂婚的前晚，獨自在居酒屋喝了十瓶溫酒的啊……

你就是寵她……

唉……吵得我頭好痛。

有頭痛藥哦。

可以開車了嗎？

好啦……行李整理好了，可是……

小新，你開冰箱也沒有用，裡面空無一物啦！

啊！你們怎麼擅自進別人家……

是因為這個啦！

而且我就要啟程逐夢，怎麼會有種空虛感呢？

為什麼會有一種……東西忘了帶的感覺呢？

其實偶還喜歡德郎先生，我還是喜歡他……

這是昨晚的老師！松坂老師其實還喜歡著你，卻在逞強啦！

……

真的空無一物。你是來做什麼的？

現在事情與我無關吧？

妮妮……

正男……

嗯……

反正我們就是小孩子嘛！可是小孩還很老實！可是小孩還實一點啦！其實還很愛松坂老師，還嘴硬不說！

梅小姐今天要訂婚！而我要去非洲！事情不像你們小孩想得那麼簡單啦！

德郎先生，你真正的心意是什麼樣？

就算回答你，也太晚了。

為什麼？

原來如此，我明白心裡空虛的理由了。現在我的心就像這冰箱一樣空無一物。

……既然如此，只要放東西進去就好了……

可是我喜歡把事情想得很簡單。餓了就吃，想睡就睡。嗯就嗯。

冰箱空了，就買東西放進去。

我以結婚為前提，等待妳的到來！

可惡！我本來也簡單思考事情的！

對！簡單地！誠實地思考！我還喜歡梅小姐啊！

去家熱福超市！

你沒搞清楚意思吧。

出國之前，我要搶一樣要放進冰箱的東西！

德郎準備好了嗎？搭我的車一起去機場吧。

我開車。

松坂老師&德郎先生，交纏糾葛的線終於解開了哦！篇

其之3

交給妮妮！

妮妮

真遜——

松坂老師的訂婚地點在哪？

妳這麼一問，要去哪裡呢？

我開車送你去，地方在哪裡？

我要去把情人梅小姐帶回來！

嗯，去把事情弄個清楚吧！離班機起飛還有時間！

哦好英勇！

其實是如此這般……拜託妳用妳的力量幫忙！

妳要怎麼回報我？

所以老師們慌慌張張的。

愛小姐，妮妮小姐打電話來。

小新他們好像逃出去了。

黑磯！立刻撥給人在英國的爸爸！

是。

跟小新約會一天。

怎麼擅自用我當回禮……

我幫妳。

嘻

噗噗……
噗嚕嚕……

咦？令千金的請求？
是…原來如此，我明白了，請把該人物的資料傳給我！

我是傑克……哦！日本的醋乙女先生，你好嗎？

上次拍卡洛里美得Calorie Mate廣告時，受您多方照顧了！

克蘿，馬上幫我找這個人！名叫松坂梅，特徵是很厚的妝，用衛星找出她的位置！

MATSUZAKA UME

DATA
SUPER
ATSUGESHOU
AGE 24
TSUKEMATSUGE
ACTION
KINDERGARTEN

JAPAN DATA

那是我家的手機。

情報來了！

嗶囉囉囉——

發現了！這是15分鐘前的衛星畫面，她目前似乎在這幢建築物裡！

好，把這幢建築物的地圖，傳到我待會告訴妳的郵件地址！

料亭
血泡

松坂老師的訂婚式似乎在這裡舉行。

這不是大宮的料亭「血泡」嗎？

開車三十分鐘就到，大家上車！

儀式已經結束了呢。

最後是今天的壓軸活動。

將這戒指套在梅小姐的手指…

在那之前…

六本木的母親

六本木的父親

我們想表演松坂家代代相傳的『訂婚之舞』。

啊……

是嗎……

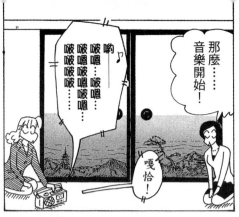

那麼……音樂開始!

嘎恰!

響

啪啪啪啪
啪啪啪啪啪啪
啪啪啪……

門拉開

啪嗯

真想死…

不行,塞車會來不及!我用跑的好了!

停滯不前

可是,成年男子從這裡開始跑,也要花三十分鐘哦。

或許會在中途跑不動。

或許還會尿出來。

不會啦!

什麼聲音?

啪啦啪啦啪啦

SUOTOME

唔哇!

嘟嚕嚕嚕

啪啦啪啦啪啦啪啦

我家的直昇機差不多該到妳那邊了吧?

謝謝妳!妳可以喜歡小新一個月哦!

妳們到底在做什麼?

歡喜氣氛

嗶——呼啦啦

嗚嗚嗚!

老爺

大喜之日

在這個

唉……丟死人了…

噗

唔…．!

拉開

啪啪
啪啪
啪啪

為什麼心裡突然覺得忐忑不安……

的回憶點點滴滴的神隱少女憶喲喲！喲嗯！

你是誰？

我是莉亞！

你退下啦！

德郎先生！突然打擾，我叫做行田德郎！

不好意思，

德郎先生！

啪啪
啪啪

梅小姐！

嘿嘻！

德郎先生…

我還是喜歡梅小姐！一定要跟她在一起！

我是來把松坂梅小姐搶走的！

你說什麼？

握拳

正合我意！

不用和他對抗跟著脫啦！

脫

之前的不安預感，原來是這個。

我不能默默地把她交給你！

你用武力來搶看看呀！

脫

你們兩個都住手！

唔哦——！

爸爸快點！他們或許正扭打在一起哦！

妳在期待什麼呀？

料亭
血泡

滾過來

啪嘶

咚喀

寫生

抱歉，我會贏的！別看我這樣，我是急性子道空手道的黑帶！

呀——六本木先生好英勇！

介紹你朋友給我認識！

加油呀…德郎先生！

正男，你要更加油！

你什麼意思？

哦——他們正在打！

織惠！

德郎先生…

我們走吧！

嗯！

握緊

各位，真的很不好意思！

你要怎麼負責！

你到底站在哪一邊啦！

這時候插話或許不妥，改天要不要再一道聊聊肌肉呢？

好啊！就約今晚如何？我來訂餐廳！

飛留斗…

織惠！

年老力衰，真令人感傷呢。

洛基第6集應該要早點拍才對。

我們也走吧！

新之助！

嗯！

我希望我心愛的妳，把這重要的骨頭留在身邊。

豬鼻龍的恥骨…這是你最重要的東西吧？

春日部山森林公園

這個…希望妳收下。

這次非洲行是最後一次，要是找到豬鼻龍的化石，我一定會回到妳身邊，然後……

呀——好希望山下智久對我這麼說哦！

換作是我，收下那個也不會開心。

好痛哦…

嘘

拉長

73

接下來的話，等你回國再告訴我。

正男明天或許無法來幼稚園了。

真令人同情。

哦！當場打破兒哦！

拉得好長

噫——

非洲的南波波薩魯馬達國發生恐怖炸彈爆炸案！這次爆炸，似乎造成數百人死傷……

臨時新聞

不妙！有焦味！

什麼？醬油2大匙和……

幾天後

為不擅作菜的新婚妻子而寫的烹飪入門

滋——

接下來是氣象預告，森田先生……

另外，其中日本人男子行田德郎先生，確認已經罹難身亡……

嗄嘰

松坂老師&德郎先生竟然會發生這種事情…？篇

哦哦哦！

邊走邊尿

松坂老師&德郎先生
竟然會發生這種事情…？篇

HOTEL KOKANDA

…你對松坂老師說的是…

我今天嗯了這麼大的便便。

頂多是這種話吧！

多虧我的忠告建議呢。

這陣子慢慢地在恢復精神了。

德郎先生往生後，她有一陣子都傷心抑鬱……

嘿

哇哇

咚喀！

2個月後……

動感幼稚園

好！

總之，讓我們再靜靜觀察一陣子吧。

才不是那種低級的事情！

就像吃了辣的食物，到第二天小菊花會刺痛一樣呢。

這種事情，往往是後來才產生影響呢。

不過，她真的重新振作了嗎？

啪喀

哇

？

骨頭…

昨天我喉嚨卡到魚骨頭了。

笨蛋！提到骨頭的話，會令她想起德郎先生吧！

不可以說出令她聯想到德郎先生的字眼啦！

咦？那……有什麼字眼不能說？

唔……比如恐龍化石……

除了德郎先生的名字，『情人』也是禁語呢。

那……可以說『人妻』嗎？

隨你說幾次都行。

臉靠太近了！

慢著……

人妻 ← 跟魚店老闆偷情 ← 魚骨頭 ← 德郎先生

不行！人妻也不能講！

那樣太牽強了啦！

過度介意也不好啦……

吧嗒

託您的福，我每天早上都「精神抖擻」。

（往上舉）

看到妳比想像中有精神，我放心了。

79

德郎葬禮的時候，沒辦法跟妳慢慢聊……

所以你特地來找我嗎？

耶

對不起，是我害死他的！

當初我不該找他去挖化石的！

教授……

發動恐怖攻擊的是該國的反政府團體，國內情勢似乎幾年前就開始惡化……挖掘計劃也應該停止的！是我誤判情勢了！

請別太自責啦。

對妳這個女友很抱歉……

保根田教授，這不是你的錯，是德郎自己決定去的。

他的母親也說了一樣的話。

謝謝妳，讓我釋懷許多了。

嗯嗚……

我也想拜託妳一件事。

妳應該不會那樣的，請千萬不要做傻事哦。

聽妳這麼說，我放心了。

哈哈哈……怎麼可能嘛！別擔心，我蠻堅強的哦！

小新在做什麼？

他說在扮蠑螈。

他還是這麼蠢。

嘎沙

咕嚕

咕嚕

咕嘩

德郎……我馬上就去找你了哦……

呼

感士忌
自暴自棄

男友德郎往生後，有一陣子假裝堅強的松坂梅，其實每天藉酒澆愁。

哦噁噁

呼…呼…好痛苦…

…我好寂寞哦…德郎……

你被炸得粉身碎骨而死，那我也要傷心喝醉而死……

然後去找你……

呼！呼！

第二天，動感幼稚園。

『慾望師奶』有個角色沒有人演……

風間，要不要玩老師叫我過去。

抱歉，

真同情那兩個人…

←騙人

服裝

假髮

嗯？

風間

要不要扮炸蝦？

有一件衣服沒人穿。

為什麼這家幼稚園，沒人玩正常的遊戲啦！

園長⋯⋯她肯定
是為了分散德
郎先生的事帶
來的悲傷，才
不禁這麼做的
⋯⋯

就算是這樣，
也不該在工作
時喝酒啊！

衝進來

請不要炒
松坂老師
魷魚！

魷魚用
炒的就
好了！

魷魚
不一樣啦！

意義

我也不不願意開除她，
可是這個問題不單純
⋯⋯在正式懲處決定之
前，請妳在家反省。

翻身⋯⋯？

反省！

老師！
松坂老師！

不好意思。

可惡！沒有
什麼我能
做的事嗎？

那⋯⋯
你先把那件
噁心的衣服
脫下來。

咚

松坂老師
會重新振
作起來！

讓我們相信⋯⋯

當天晚上

打工下班巧巧遇你們,我運氣真好!

跟著我們走,是你的自由,我不會請客的。

要巧遇的話,我比較想跟娜娜子巧遇。

烤雞肉串
亡命之徒

嘎啦啦

歡迎光臨!

晚安——

黑!

咕嚕!

醉醺醺

啊……被組長命令翻身的女人!

你在胡說八道什麼啊……

我不知道出了什麼事,但是那位小姐喝得好猛,再喝下去會死的。

死了最好!

再來一瓶。

老師,妳喝太多了啦。

醉醺醺

老師,大家都在擔心妳哦!

我也有點…

……

哦黑色胸罩!

掀起

我要回去了,買單。

好的。

挨揍是當然的。

她怎麼了嗎?

別管她,喝酒。

注意安全啊!

掰掰

字外。

腳步不穩

千夏，要不要唱卡拉OK？

好啊好啊！來唱倖田來未的歌！

喝醉的女生很難看的哦⋯⋯歐巴桑！

嘻哈哈哈哈

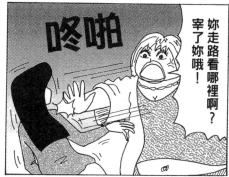

妳走路看哪裡啊？宰了妳哦！

咚啪

有本事就殺了我啊！

花生

別隨隨便便就說要「殺人」。

緩緩站起

好大的膽子，竟敢向我挑釁！

尿尿⋯尿尿⋯

哦！

與幼稚園學生玩耍學會的技巧。

松坂老師！鋼打姆拳！

滋哇！

咚卡

與幼稚園學生打躲避球，練就的身手。

揮過去

說大話的傢伙。

給我記住！

啊…員警來了。

呼

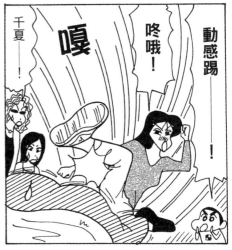

千夏——！

嘎

咚哦！

動感踢——！

你誰啊？

好一場精采的戰鬥。

啪 啪 啪

出了什麼事嗎？

「美冴的胸部」猜三個字，答案是「沒什麼」。

烤雞肉串亡命之徒

噗噢

但我已經……

真的謝謝你們，

難過的時候，請隨時找我們哦。

謝謝——

是……

公寓終極警探

妳們被那女生打敗了？

女子拳擊嗎……去練這個，就能遍體鱗傷而死嗎？德郎……

不過再這麼下去，稱霸春日部繁華街的母袋鼠團名聲會受損的。

不好意思，明菜姊！

真是！別什麼事都來找我哭訴啦！

磅磅

我來打倒那女的。

咚沙

松坂老師&德郎先生
竟然會發生這種事情…？篇

其之3

男友德郎在恐怖炸彈事件中喪生的松坂梅，在上班時也藉酒澆愁，不久被發現甚至在家反省，當晚甚至在街上跟太妹打架。

另一方面，被松坂打敗的太妹幫母袋鼠團，團長明菜決定打倒松坂。

她被目睹一切的拳擊館會長三木看上，邀請參加女子拳擊。

三木拳擊館

那麼……妳幾時可以開始受訓？

現在就開始。

很高興妳來，松坂梅小姐。

憑妳的實力，有可能成為女子拳擊冠軍哦。

我的目標不是冠軍，而是被打死。

職員室

聽說貴校雇用酒精中毒的教師！

不…不是這樣的…

不管怎麼樣，上班時間喝酒是很大的問題！她喝的是洋酒？日本酒還是韓國燒酒？

大關太太，酒的種類無關緊要吧？

不好了！PTA（家長會）來討論松坂老師的事情了！

動感幼稚園

哦！

本以為PTA是像FBI那樣英勇的組織，原來只是些普通的阿姨。

不是普通的阿姨哦！我可以用掰掰袖模仿鼯鼠！

大關太太…

不悅

肥滋滋

總之，我們要臨時召開PTA總會，討論這個問題！

是……

松坂老師還是會被開除嗎？

不要緊，她才不會被開除。

表演鼯鼠、表演鼯鼠！

我只在宴會上表演啦！

大關太太…

來——衝刺、衝刺！

呼！

呼！

噠——

休息一下，小便！

呼！

呼！

沙

「照顧」我可愛的晚輩的人，就是妳嗎？

哎呀，不用道謝啦。

真不巧，我這個人很講道義，容我向妳回禮。

好快。

沙

鏘！鏘！鏘！stop！

你隨身都帶著那種東西嗎？

咻！

嗶！

三木會長……

好久不見了啊，明菜！妳依舊在游手好閒嗎？

啵啵哩……

花生

你們認識？

她以前是我拳館的練習生。

還有，我也受不了你的花生味！

我愛吃嘛！

啵啵哩……

但她太驕傲了，沒多久就疏於練習，最後終於放棄。

對手都太弱了，覺得女子拳擊很可笑，我才會遇到強手，一定要遇到強手，我才會產生鬥志。

原本就很會打架的明菜，在拳擊方面也發揮才能，拳技愈來愈強。

拳擊是嗎？好吧，妳加緊練習吧。

來，花生味好重！

不要靠過

不要緊，我知道她的弱點。

私語

竊竊

我要跟她一決勝負！

那麼就在拳擊場上決鬥吧！下週在我的拳館如何？

咦？拳擊比賽形式嗎？可是我才剛學不久……

她在笑！好有自信！

對了，只要故意挨拳，我或許就死得成了。

笑

是剛才她那一拳劃破的。

她的威力似乎沒減弱，妳能閃過也很不得了……

咦？

小梅，妳臉上有血……！

流下

松坂老師&德郎先生，兩人的心永遠相連哦！篇

其之1

咦？抓雞？
對，把雞抓起來，
用來鍛鍊腳的動作。
根本是模仿『洛基』嘛。
咕！
少囉嗦！做吧！
啪沙沙
咕咕——
咕——
站住！
噠
松坂老師？
妳說過妳討厭酸梅是吧。
呼！呼！
對啊！我的名字叫梅，所以小時候常被笑是酸梅，也因此令我痛恨酸梅！
咕……
咕……
那…我現在把妳最討厭的酸梅往妳身上丟，妳待在圈圈裡閃躲！這是防守訓練！
咕——
疲憊無力
呃…幾時畫了個圈…
咻
喀
嗶
嘶
咻
好痛！
啊！

好痛！

衝刺！
衝刺！

啪

呼！

呼！

快跑——

快快！
快！

第二天，動感幼稚園。

咦？
松坂老師偷雞？

怎麼可能……相信。
我無法
錯不了，我親眼看見的！

為什麼要用酸梅呢？

啊！雞是那位老爺爺的啦！所以他氣得拿酸梅丟她！

我看到的是她被老爺爺丟酸梅。

我看到「老爺爺拿棒子毒打逃走的松坂老師」。

前因後果串起來了！錯不了，松坂老師是偷雞賊！

可是她為什麼要偷雞？

為了活下去。

人墮落的時候，什麼壞事都做得出來呢。

老師或許會被開除……

被不正派的新之助說成這樣，悲哀哦……嗚……

讓我們把她變回正派人吧！

身為春日部防衛隊，我們應該拯救松坂老師！

嗯！我不想看到犯罪模樣的松坂老師！

放學後

那名偷雞賊就是走這條路逃走的。

你一口咬定這樣好嗎？

啊！

快點！

噠噠噠

帕

哇……又來了！

啊！她是本性善良的人

請原諒她吧！其實她只是化妝時間比別人長而已！

他們是誰？

你們誤會成什麼了？

咦？是拳擊的訓練？

誰是偷雞賊呀！

哇哈哈哈……真是滑稽。

對呀！滑蛋油雞，哈哈哈！

在家反省？

我是情勢所逼，沒辦法啦！

妳說明天要比賽，這樣違反在家反省的處份吧？

噓

小梅，回拳擊館繼續訓練。

我非走不可了，再見。

三木拳擊館

謝謝你們……

保重啊。

迅速聯想到

!!

難不成松坂老師抱著必死的決心，參加明天的比賽？

不…不會吧……

妮妮無法察覺現場氣氛，卻能判讀別人的心……

噓！她會聽見的！

97

她有可能隨德郎先生而去⋯加上她快被幼稚園開除了，所以或許是自暴自棄。

小新，你有什麼想法？

怎麼這樣⋯

松坂老師的對手究竟是不是美女？胸部會不會走光呢？

不要一臉正經地胡說八道啦！

今天先就此回家吧。

嗯⋯

比賽當天，動感幼稚園——

還是應該告訴吉永老師，請她去阻止比賽啦。

在家反省期間去打拳擊的事被發現的話，她肯定會被開除的！

好想看胸部走光！

請問松坂老師在這裡嗎？

松坂老師？

咦？走光嗎？

請問您是哪一位？

我姓行田。

難道是德郎先生的媽媽？

你們認識我兒子嗎？

是這樣的，德郎生前寫了一封信給松坂老師，我拿來給她。

!!

我幫妳送去！

新之助！

搶走

對了！只要把信拿給老師看，她或許就不會比賽了！新之助，好點子！

這樣就可以去看胸部走光了！

呵呵——

一點都不好。

三木拳擊館

現在開始進行非正式的三回合比賽。

我第一回合就宰了妳。

請務必殺了我。

小梅今天的眼神怎麼死氣沉沉的？

鏘——！

德郎，我馬上就去找你了。

咚

啪嘶

啊呀！完全沒使用我教的防守方法！

好欸！明菜姊的快速攻擊！

上啊、上啊！

短期訓練果然行不通嗎……

咚隆

1……

2……

3……

起身

呼！

呼！

不行……這樣我死不了的，再用力一點。

致命一擊！

打吧！

完蛋了！

出現！

松坂老師！德郎先生寫給妳的信哦！

咦？

揮空

滑倒！

跌倒

好可惜！沒有走光！

走光…？

為什麼？

剛才德郎先生的媽媽拿來的。

那個混蛋！

我一定要殺了妳！

咚卡 嘎 滋嘶

抱歉，在看到信之前……

中了——！

中樂透？還是食物中毒？

戰無不勝的明菜姊竟然……

挨拳了……

別妨礙我！

咚嘎

『……小姐……好嗎？這裡……非常……』

那樣我聽不懂啦！

小新，唸給我聽。

好。

呼！呼！

剛才那一拳打得好，就是那樣！

鏘！！

他們在做什麼？

『梅小姐，妳好嗎？』

走光……

走光……

我唸給妳聽！上場吧！

要唸得讓我聽得見哦！

對面的女生蠻美的呢。

鏘！！

松坂老師！

事情的原委，我們都已經聽說了！

請不要用拳擊自殺啊！

而且妳正在家反省，卻做這種事……

你們很吵欸！

我要唸信，安靜！

你也要安靜。

梅小姐

妳好嗎？
南波波薩魯馬達國這裡非常熱。
我們正在這裡進行挖化石的最後準備工作。
我不知道挖掘要費時多久，但我一定會找到豬鼻龍！

我的挖掘活動，是將「過去」挖出來的工作，而妳做的是照顧孩子，與未來聯結的神聖工作。我很羨慕妳。

妳像野獸般追逐孩子的模樣，非常的有生氣、很有魅力。雖然妳外在表現得很堅強好勝，其實是愛掉淚的好好小姐，我應該是愛上妳這一點吧。

今後應該會有很多辛苦的事情，請妳一定要繼續從事老師的工作哦！
見不到我而覺得寂寞時，請抬頭看天空。我在挖掘工作的空檔，也會抬頭看天空。
全世界的天空是相連的，所以當我們看天空時，心是相連的。

德郎

挨了明菜姊的拳頭，還站得起來…

他果然好兇哦…噫噫噫噫……

園長…你的台詞和長相太相配了。

上呀——！快點打倒她！

德郎，我會活下去！今後也會好好活下去的！

小梅恢復老虎般的兇猛眼神了！

他的腳有長雞眼。

德郎，你看著！我要為生存而戰！而非為死而戰！

這種狀況下哪講得出來呀。

明菜的弱點是黃色話題！妳快開點黃腔！

原來她叫做明菜。

103

跌倒

遮住

討厭！

明菜！胸部走光給我看！

胸部走光？

威風凜凜的大姊頭明菜，詼諧逗趣地昏倒了。

嗚嗚……

STOP！

不過見效了。

這下不行。

星際大爭霸霹靂彈終極警探拳！

啪喀

這是一般的拳頭……

第二天，動感幼稚園——

PTA臨時總會

將孩子們交給這種老師妥當嗎？

待續

鏘！鏘鏘鏘！

謝謝你，德郎。

可惡，沒有走光！

很好，小新也很感動吧…嗯嗯！

松坂老師&德郎先生，
兩人的心永遠相連啦！篇

其之2

松坂老師克服了男友德郎的死，但因為上班時喝酒的問題，使得幼稚園召開PTA總會。

我們無法放心把孩子們交給這種酒精中毒的老師！因此我們要求松坂老師離職！

啪 啪啪

沒錯！

松坂老師因為無法承受男友驟逝的打擊，才不禁喝酒麻醉自己，絕不是什麼酒精中毒……

她已經振作起來了，能不能再給她一次機會呢！

一定要給予嚴厲的處份！

開除！
開除！

吵吵鬧鬧

啊……鼯鼠！

對，我是鼯鼠！用掰掰袖在空中飛翔…

啪沙！

大關太太，妳被他耍弄了。

你在做什麼呀？新之助。

衝進來

成群結隊

你們這是做什麼？

我最喜歡松坂老師！

別逼松坂老師離開！

我想見新垣結衣！

105

我們反對開除松坂老師！

反對！

贊成拉開衣服露乳頭。

我看到老師在幼稚園喝酒，心裡害怕才打小報告，沒想到會變成這樣⋯⋯老師對不起⋯⋯妳不要離開，我們再來打躲避球啦。

各⋯各位⋯

我想松坂老師經過這次事情，已經體驗到悲哀和折磨⋯⋯我願意把孩子交給了解人心悲傷的老師來照顧。

沒錯，而且任何人都會犯錯，只要她知所反省，不再上班喝酒就好了。

贊成！

啪啪啪

原來PTA也愛喝酒嘛。

大關太太⋯

噓——！

聽妳這麼一提，我想起我們在百貨公司兼差時，也曾在紅酒試喝區大喝呢。

那麼⋯⋯開除松坂老師的事就徹底消了！

謝謝大家！

哇

啪 啪 啪

太好了！松坂老師離開的話，就沒意思了嘛！

松坂梅的懲處 減薪3個月。

不好意思，給各位添麻煩了。謝謝大家。

會累積多少眼淚呢？

哇

啪啪——

德郎生前，有時會談起妳。

他說『我目前正和一位有趣而且有特色的女性交往,她跟妳一定合得來』……

謝謝妳,坂梅小姐,松我兒子與妳認識,真是非常幸福。

不、不,得到伯母,是我幸福的人。

老師!

松坂老師,我們一起來玩吧!

好,來打球吧!

來玩躲避球啦!

來玩彈鼻屎吧!

氣氛熱絡

如你所交代的,我會永遠擔任老師!把孩子們教育成有同情心、心地善良的人。

希望不久之後,這群孩子能把世界改變成沒有戰爭和恐怖活動……

你要看著我哦!德郎!

幾天後

喂認真一點跑!

我不行了啦……會長……

喂!

妳好

過一陣子…

新東京國際機場

明菜她好像受到妳的刺激，回來求我『請再讓我練拳擊』哦。

加油啊！

再見啦…老師。

南波波薩魯馬達的情勢穩定下來了，所以我要再去挖化石。

有件事拜託你…

這是我以前送他的，豬鼻龍的恥骨……

請帶德郎一起去。

後來，保根田教授的考古隊成功挖到豬鼻龍的化石，化石被復原，在世界各地展示。

那塊恥骨也成為展示品的一部份。

我明白了！我一定會和德郎完成任務的！

注意安全啊！

◎初出

『月刊まんがタウン』2007年6月号〜12月号
『jourすてきな主婦たち』2007年4月号〜7月号
『漫画アクション』2007年8月7日号

FC02347 C12P96

蠟筆小新 ㊼

原名：クレヨンしんちゃん㊼

■作　　者	臼井儀人
■譯　　者	蔡夢芳
■執行編輯	楊清心
■發 行 人	范萬楠
■發 行 所	東立出版社有限公司
■東立網址	http://www.tongli.com.tw

台北市承德路二段81號10樓

☎ (02)25587277　　FAX(02)25587296

■劃撥帳號	1085042-7（東立出版社有限公司）
■劃撥專線	(02)2558-7277分機274
■印　　刷	嘉良印刷實業股份有限公司
■裝　　訂	台興印刷裝訂股份有限公司

■2008年1月25日第1刷發行

日本雙葉社正式授權台灣中文版

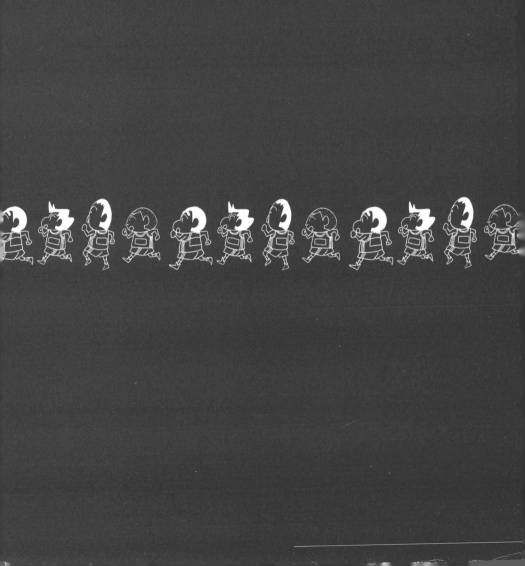